COLLECTION
FICHEBOOK

FRANÇOISE SAGAN

Bonjour tristesse

Fiche de lecture

Les Éditions du Cénacle

© Les Éditions du Cénacle, 2020.

1 rue Honoré - 93500 Pantin.

ISBN 978-2-36788-598-8

Dépôt légal: Juin 2020

Impression Books on Demand GmbH

In de Tarpen 42

22848 Norderstedt, Allemagne

SOMMAIRE

BIOGRAPHIE

FRANÇOISE SAGAN

Le 21 juin 1935, à Carjac (dans le Lot), naissait Françoise Quoirez, troisième enfant de Pierre et Marie Quoirez. Elle a une sœur, Suzanne, et un frère, Jacques ; Maurice, né peu avant elle, est mort en bas âge. Aussi la naissance de la future Françoise Sagan est-elle une bénédiction pour ce couple de bourgeois aisés. Toute son enfance sera heureuse, chérie et protégée.

Son enfance est marquée par la Seconde Guerre mondiale, dont elle découvre toute l'horreur en 1945, bien que sa famille, bourgeoise, industrielle, établie dans le Sud de la France, ne soit pas inquiétée. Françoise aime énormément les livres, et notamment ceux de Flaubert, Cocteau, Proust, Faulkner, Camus, Sartre (qu'elle rencontrera plus tard), mais sa scolarité connaît des hauts et des bas ; elle fréquente plusieurs cours privés, et doit repasser son baccalauréat. Elle monte à Paris, pour étudier à la Sorbonne, et son frère Jacques lui fait découvrir la vie parisienne nocturne.

Après avoir échoué à son examen, en 1953, elle écrit son premier roman, *Bonjour tristesse*, dont le titre fait référence à un poème d'Eluard. Ses amis l'encouragent à l'envoyer à un éditeur, et c'est finalement Julliard qui édite ce premier roman, écrit par une jeune femme de dix-huit ans. C'est également à ce moment-là qu'elle choisit son pseudonyme, à la demande de son père : ce sera « Sagan » en référence à un personnage de dandy, Talleyrand-Périgord, prince de Sagan, qui avait inspiré à Proust le Duc de Guermantes et le baron de Charlus. Le roman connaît un grand succès et est couronné du Prix des Critiques. François Mauriac lui rendra hommage et reconnaît ses talents littéraires dans *Le Figaro*, où il lui donne pour la première fois ce surnom célèbre ; « un charmant petit monstre ». Cependant, le roman fait aussi scandale dans les milieux littéraires les plus conservateurs.

Sa carrière est lancée ; elle rencontre de grands noms,

part à New York pour promouvoir son livre, et écrit de nombreux articles sur l'Italie pour le magazine Elle : « Bonjour Naples », « Bonjour Capri », « Bonjour Venise »… En 1956, elle publie un deuxième roman, *Un certain sourire*, qu'elle dédie à son amie Florence Malraux, qui l'avait encouragée à envoyer *Bonjour tristesse* à un éditeur. Ce second roman connaît lui aussi un très bon accueil de la part du public. Grisée par le succès, l'argent, la liberté, Sagan suit les conseils paternels et dépense sans compter dans les casinos, les boîtes de nuit ou les voitures de sport. Jusqu'à la fin de sa vie, son rapport à l'argent sera fait d'indifférence et d'insouciance. Elle devient le symbole d'une jeunesse libre, nonchalante et effrénée, une sorte de modèle pour ses pairs, qui finissent par la confondre avec ses personnages.

Mais en 1957, un grave accident de voiture la laisse entre la vie et la mort, et seul un traitement à base de morphine atténue ses douleurs. Devenue dépendante, elle suit une cure de désintoxication, au cours de laquelle elle tient un journal (publié sous le titre de *Toxique*). La cure est un échec, aussi se réfugie-t-elle désormais dans l'alcool, les médicaments, les drogues. En 1958, elle épouse Guy Schoeller, un éditeur rencontré en Amérique, beaucoup plus âgé qu'elle, et dont elle divorce deux ans plus tard. Elle se remarie en 1962 avec le mannequin Robert Westhoff, avec qui elle aura un fils, Denis, né au cours de la même année. Le couple divorce en 1970. Sagan ne reconnaissait pas sa bisexualité, et pourtant, elle vit par la suite une longue aventure avec la styliste Peggy Roche.

Par ailleurs, elle est engagée politiquement à gauche, sans pour autant se reconnaître précisément dans un parti. Elle signe avec provocation, en 1961, le « Manifeste des 121 » (ou « Déclaration sur le droit à l'insoumission dans la guerre d'Algérie », un manifeste qui dénonce la guerre d'Algérie), ainsi que le « Manifeste des 343 salopes » (ou manifeste des 343 femmes qui déclarent avoir avorté illégalement).

Son œuvre se compose d'une vingtaine de romans : entre autres *Aimez-vous Brahms…* en 1959, *La Chamade* en 1965, *Le Garde du cœur* en 1968, *Un peu de soleil dans l'eau froide* en 1969, *Des bleus à l'âme* en 1972, mais aussi d'une dizaine de pièces de théâtre comme *Le Rendez-vous manqué* en 1958, *Château en Suède* en 1960, ou encore *L'Écharde* en 1970, ainsi que de nouvelles, de mémoires, de journaux intimes, de chansons (pour Juliette Gréco, notamment), d'une biographie de Sarah Bernhardt, et de scénarios et de dialogues de films (*Landru* de Claude Chabrol, *Le Bal du Comte Orgel* de Marc Allégret…). Elle sera également présidente lors du festival de Cannes, en 1979.

La fin de sa vie est nettement moins insouciante ; elle connaît des ennuis de santé, et est arrêtée pour détention et usage de stupéfiants en 1988. Elle va également voir disparaître peu à peu tous ses proches ; Peggy Roche meurt en 1991, puis ses parents, son ancien mari Robert Westhoff… À nouveau compromise dans une affaire de drogue en 1995, elle est accusée de fraude fiscale dans le cadre de « l'Affaire Elf » en 2002, et, d'un point de vue physique, décline totalement. Elle décède d'une embolie pulmonaire le 24 septembre 2004 à l'hôpital d'Honfleur.

PRÉSENTATION
DE
BONJOUR TRISTESSE

Bonjour tristesse est un roman très court, qui met cependant en scène de manière aussi brève qu'efficace un drame à la fois psychologique et amoureux. L'héroïne, Cécile, est comme son père, Raymond, aussi légère que peu fidèle en amour. Lorsque son père envisage de se remarier avec Anne, femme de tête, intelligente, raffinée et grande dame, la jeune fille se pose immédiatement en rivalité avec elle. Elle constate que sa liberté va disparaître, avec une telle belle-mère, pour faire place à une vie simple et de bon goût. Par ignorance et insouciance, autant que par dépit et par jeu, Cécile place sur la route de son père son ancienne maîtresse, Elsa, espérant que celui-ci trahira Anne, ce qu'elle ne pourra jamais se pardonner.

Le roman provoque un petit scandale, qui contribue à sa célébrité, avec la jeunesse et le talent de l'auteur. Sagan déclare cependant, à la fin de sa vie, en 2004, dans une interview donnée à Alain Louyot, de *L'Express* : « En fait, j'ai été très surprise du scandale que ce livre a suscité. Pour les trois quarts des gens, le scandale de ce roman, c'était qu'une jeune femme puisse coucher avec un homme sans se retrouver enceinte, sans devoir se marier. Pour moi, le scandale dans cette histoire, c'était qu'un personnage puisse amener par inconscience, par égoïsme, quelqu'un à se tuer. »

RÉSUMÉ DU ROMAN

Quelques vers liminaires de Paul Eluard, tirés de *La Vie immédiate*, font office de préface.

PREMIÈRE PARTIE

Chapitre I

Ce premier chapitre permet de poser les caractères des personnages du drame qui va suivre, ainsi que les lieux ; Cécile, jeune fille gâtée de dix-sept ans, passe ses vacances d'été au bord de la Méditerranée en compagnie de son père, Raymond, veuf et éternel Don Juan, et de la maîtresse de celui-ci, la mondaine, stupide et rousse Elsa. Leur vie de bourgeois aisés est faite d'insouciance, de gaieté, de soirées mondaines et d'aventures amoureuses sans lendemain. Cécile rencontre alors Cyril, étudiant en vacances comme elle, et qui lui plaît, quoiqu'elle préfère d'ordinaire la compagnie d'hommes plus âgés, comme son père. On lui annonce alors l'arrivée d'Anne Larsen, une ancienne amie de sa mère, femme intelligente, respectable et élégante. On perçoit dès lors la relation particulière qui lie Raymond et Cécile, qu'il traite comme son égale, bien plus que comme sa fille, et qu'elle appelle son « vieux complice ».

Chapitre II

Cécile sent qu'en présence d'Anne, c'en sera fini de sa liberté : « Elle posait les limites du bon goût, de la délicatesse… » Alors que Cécile se laisse troubler par Cyril et l'embrasse, Anne Larsen arrive de façon impromptue, en voiture. À sa surprise de savoir Elsa en vacances avec eux, Cécile se demande si elle n'est pas amoureuse de son père. Elle évoque ensuite sa vie parisienne en compagnie de celui-ci, entre liberté complète, luxe, abondance, sorties mondaines, soirées… « Idéalement je me préparais à une vie de bassesses et de turpitudes », conclut-elle.

Chapitre III

Le lendemain, Cécile compare au réveil Anne, fraîche, belle et élégante à Elsa, bouffie et encore endormie, bien qu'elle ait treize ans de moins. Elle semble vouloir les poser en rivalité. Elle retrouve ensuite Cyril à la plage, plein de scrupules et honteux de leur baiser. Puis elle retrouve son père « et ses femmes » ; de nouveau l'écart est appuyé entre la beauté gracieuse et délicate d'Anne, et le ridicule teinté de vulgarité d'Elsa. Tandis que les deux autres encouragent Cécile à profiter des vacances, la sérieuse Anne lui conseille de travailler pour l'examen qu'elle doit repasser.

Chapitre IV

Cécile se demande si elle ne s'est pas trompée au sujet des sentiments d'Anne, qui manifeste tant de gentillesse et de patience à l'égard d'Elsa et de ses sottises. Pourtant, un après-midi, alors que Raymond et se maîtresse s'éclipsent, Cécile lance une discussion sur l'amour, mais ses propos cyniques agacent Anne, qui lui répond qu'elle ne sait rien de ses choses. Quinze jours passent, un jour, Cécile se lance dans la critique féroce de la mère de Cyril, qu'ils viennent de rencontrer et qui se complaît dans sa vie de bourgeoise veuve et mère ; une vie que la jeune fille n'approuve pas. « Vous avez des idées à la mode, mais sans valeur », lui répond Anne, ce qui humilie Cécile, décidée à gagner son respect.

Chapitre V

Un soir, nos protagonistes décident de sortir à Cannes. C'est au cours de cette soirée que tout bascule selon la narratrice : « Je me rappelle exactement cette scène : au premier plan, devant moi, la nuque parfaite, les épaules dorées d'Anne ; un peu plus bas, le visage ébloui de mon père, sa main tendue et, déjà dans le lointain, la silhouette d'Elsa. » Au cours de la soirée, Raymond s'arrange pour être seul avec Anne, et, alors qu'Elsa les cherche partout, Cécile les découvre dans le parc, où ils se préparent à rentrer. La jeune fille en veut à son père de délaisser sa maîtresse de cette façon et laisse éclater sa colère ; elle est giflée par Anne. Puis le couple s'en va, prétextant le malaise d'Anne, et Cécile retrouve Elsa, qui comprend dès lors qu'elle est abandonnée.

Chapitre VI

Au matin, les deux nouveaux amants annoncent leur prochain mariage à Cécile, qui est surprise, mais ne s'y oppose pas, charmée par la vie intelligente et raffinée qui sera la leur sous l'influence d'Anne. Elsa partie, plusieurs jours de bonheur tranquille et équilibré se succèdent. Mais alors que l'idylle entre Cécile et Cyril se poursuit, Anne les surprend, et chasse froidement le jeune homme ; elle sermonne la jeune fille sur les dangers d'une liaison passagère et sur ses conséquences. Elle parle ensuite à son père et conseille à Cécile de travailler davantage pour son examen. L'héroïne fait alors le constat de la perte de sa liberté et de son insouciance ; être la belle-fille d'Anne, c'est être sérieuse, dirigée, policée, orientée vers un droit chemin qu'elle n'aura même plus envie de quitter. Inconsciemment, la jeune fille décide de se rebeller.

SECONDE PARTIE

Chapitre I

Cécile, recluse dans sa chambre, où elle ne travaille pourtant pas, exprime son affection et sa fascination mêlées de haine envers Anne. Tandis qu'elle dépérit, la tension augmente entre les deux femmes.

Chapitre II

La jeune fille finit par en arriver à la conclusion qu'Anne va peu à peu détruire son existence, ainsi que celle de son père. Ce jour-là, Elsa revient pour prendre ses affaires, désormais la maîtresse d'un certain Juan. Cécile l'emmène pour ne pas qu'elle rencontre Raymond et Anne, et conçoit à cet instant une machination pour séparer le couple. Il suffirait de tenter son père en lui plaçant sous le nez une Elsa consolée, embellie, comblée par un autre homme, de manière à le blesser dans sa fierté. Faisant croire à Elsa que son père l'aime encore, et qu'il va commettre une erreur en épousant une femme calculatrice, elle encourage Elsa à le détacher d'Anne, et lui conseille d'aller s'installer chez Cyril. La jeune femme accepte et repart. Quelques heures plus tard, Cécile se sent affreusement coupable et multiplie les prévenances envers Anne, tout en se promettant de faire machine arrière et de bien travailler pour son baccalauréat. Elle se reproche d'en avoir voulu à Anne de l'avoir mise au travail, tout en savourant le plaisir d'avoir su manipuler Elsa à la perfection. De cette fin de chapitre, il émane un mélange parfait d'innocence et de perversité enfantine.

Chapitre III

Le lendemain, Cécile retrouve ses deux complices, Cyril et Elsa. Après un dîner un peu trop arrosé, elle se sent malade et fatiguée. L'ancienne maîtresse de Raymond ayant exagéré la situation de la jeune héroïne, Cyril la croit victime d'une femme tyrannique et féroce, enfermée dans sa propre maison ; croyance renforcée par l'état de Cécile, qui n'est pourtant dû qu'à l'alcool. Cyril lui demande alors de l'épouser, convaincu que seule Anne peut se mettre en travers de ce projet. Alors, par jeu, par fatigue, et parce qu'elle se laisse convaincre par les deux « conspirateurs », Cécile ne s'oppose pas à la machination qui se met en place. Elle parvient à gommer sa culpabilité en se persuadant qu'elle a le contrôle des choses et qu'elle pourra à tout moment faire cesser ce petit jeu. Elle revient ensuite auprès de son père et d'Anne, à la plage. C'est à ce moment que passe le bateau de Cyril, avec Elsa à son bord. Les supposant ensemble, Raymond et Anne plaignent la jeune fille, surtout Anne, qui se reproche de l'avoir séparée de son amoureux.

Chapitre IV

Cyril et Elsa se promènent partout ensemble, avec tous les signes d'une parfaite harmonie. Anne et Raymond se montrent toujours prévenants envers elle, mais Cécile se sent de moins en moins coupable. Contrairement au plan prévu, son père ne semble pas jaloux et vexé de voir son ancienne maîtresse se consoler avec un homme plus jeune en si peu de temps. Pourtant, une remarque sur l'âge laisse à penser qu'il a bel et bien été blessé dans sa fierté. Par la suite, Anne découvre que Cécile lui a menti et ne travaille pas ; Le mépris d'Anne met alors Cécile dans une terrible colère, qui la pousse à se réfugier chez Cyril. Elle se donne à lui, par colère, et presque par bravade.

Chapitre V

Le chapitre met en évidence la montée des tensions entre Anne et Cécile ; après une violente dispute, Cécile est punie, enfermée à clef dans sa chambre, et met au point un plan, dans sa colère, qu'elle ira ensuite rapporter à Cyril. Entre temps, elle discute avec son père, qui semble sentir lui aussi que leur vie sera bouleversée par son mariage.

Chapitre VI

Cécile emmène son père se promener dans un bois de pins, où ils trouvent Cyril et Elsa endormis l'un contre l'autre ; une mise en scène soigneusement calculée. La fille joue l'indifférence, mais le père est choqué et furieux. Il affirme pouvoir reconquérir Elsa, s'il en avait l'envie, mais Cécile lui soutient le contraire.

Chapitre VII

Invité à Saint-Raphaël, chez un couple d'amis, les Webb, Raymond, Cécile et Anne sortent avec eux, et retrouvent Cyril et Elsa. Le père est tiraillé entre son amour pour Anne et sa vanité de séducteur, qui le pousse à reconquérir Elsa. De son côté, Anne semble le remarquer, sans montrer la moindre faiblesse ou jalousie. Ils finissent par rentrer, avec Cécile, complètement ivre.

Chapitre VIII

Le lendemain, Anne vient au chevet de Cécile pour une conversation ; elles évoquent l'âge, la jeunesse vite passée, la vieillesse qui sonne la fin des plaisirs de l'amour et de la séduction. Anne constate l'insouciance et la légèreté totale de Raymond et de Cécile. En réfléchissant après le départ d'Anne, Cécile se dit que l'agitation extérieure est nécessaire aux êtres comme elle et son père, chose que ne pourra jamais tolérer Anne.

Chapitre IX

Cécile fait une légère pause dans le récit pour brosser le portrait de son père, qui est tout aussi léger qu'elle, « d'une légèreté sans remède ». Il n'est ni vain, ni égoïste, ni mauvais, simplement jouisseur et matérialiste. Sa conception de l'amour étant différente, son amour pour Anne ne l'empêche pas de désirer Elsa comme le symbole de sa jeunesse à moitié passée, et « du double désir que l'on porte à la chose interdite ». Car la fidélité étant un principe de base pour Anne, femme digne et honnête, elle ne tolérerait pas d'être trompée. Cécile a beau savoir qu'il lui serait facile de persuader Elsa de céder à son père, puis d'éloigner Anne pour lui laisser le champ libre, elle ne peut supporter la nouvelle vie que celle-ci lui promet.

Chapitre X

Alors que la mise en scène de la liaison d'Elsa et Cyril fonctionne parfaitement sur Raymond, Cécile éprouve elle-même une certaine jalousie envers son jeune amant. Lorsqu'Elsa vient la voir pour lui annoncer qu'elle a rendez-vous avec son père, Cécile, à la fois coupable et insouciante, ne veut pas endosser le rôle de l'intrigante et ne reconnaît pas sa part de responsabilité dans l'histoire. L'après-midi, elle voit arriver Anne, bouleversée, et comprend qu'elle a surpris Raymond et Elsa ensemble. Anne prend sa voiture et part, tandis que Cécile, horrifiée, réalise ce qu'elle a fait et cherche à la retenir. Les derniers mots d'Anne : « Vous pardonnez quoi ? […] Ma pauvre petite fille », laissent à entendre qu'Anne sait sans doute que Cécile a eu un rôle dans l'histoire, mais qu'elle ne lui en veut pas ; Raymond, lui, adulte, et homme d'âge mûr, est pour elle entièrement responsable de ses actes et coupable d'avoir cédé à la tentation. Le chapitre se termine sur ce départ d'Anne, et l'arrivée de Raymond, qui ne comprend pas ce qui se passe.

Chapitre XI

Au dîner, Cécile et son père sont écrasés par le remord et réfléchissent au moyen de faire revenir Anne ; ils réalisent qu'elle leur est indispensable. On leur annonce alors par téléphone qu'elle vient d'être victime d'un grave accident, dont elle ne s'est pas sortie. Cécile est choquée, et réalise les effets de ses manœuvres avec horreur. Elle médite sur cet accident, qu'elle croit être un suicide. Elle constate jusqu'à quel point Anne leur était supérieure, au point de choisir une mort que l'on pouvait prendre pour un accident. Elle comprend également qu'elle n'aimait pas Cyril, mais le plaisir qu'il lui donnait, et qu'elle l'oubliera aussi vite que son père a oublié Elsa. Le chapitre se termine sur Raymond, sortant une bouteille et deux verres pour lui et sa fille.

Chapitre XII

Ce dernier chapitre brosse la conclusion du roman ; les remords de Cécile et de son père disparaissent finalement, et tout redevient comme avant. Leur vie se poursuit, à deux, libre, insouciante et volage. Seul demeure parfois un sentiment de tristesse chez Cécile, lorsqu'elle se remémore cet été, ainsi qu'Anne : « Quelque chose monte alors en moi que j'accueille par son nom, les yeux fermés : Bonjour Tristesse. »

LES RAISONS
DU SUCCÈS

Bonjour tristesse, écrit par une toute jeune romancière de dix-huit ans, fut un premier roman acclamé ; à la fois par le public et par certains critiques. On reconnut immédiatement son talent littéraire à Sagan, rendu plus prestigieux encore par sa jeunesse. Elle fut en outre remarquée par Mauriac lui-même, qui lui donne son surnom de « charmant petit monstre » dans *Le Figaro*. Dans des milieux plus conservateurs, en revanche, le roman fit scandale, à cause des thèmes librement évoqués de la sexualité, de la débauche ou du cynisme, ce qui lui conféra une réputation assez sulfureuse. Naturellement, cela contribua à son succès, puisque les ouvrages jugés scandaleux intéressent toujours le public.

Sagan offrait, en outre, dans son roman comme dans sa vie, un personnage, de jeune femme, à peine sortie de l'adolescence, mais libérée, émancipée et insouciante, qui devint extrêmement populaire. Devenue un symbole malgré elle, Sagan ne put bientôt plus ôter cette étiquette, si bien qu'on l'a souvent confondue avec ses héroïnes ; héroïnes qui lui ressemblaient par bien des côtés, cependant.

Mais ce premier roman est un cas particulier ; encensé par la critique à sa parution, il est aujourd'hui resté célèbre, mais sa réception est nuancée. De plus en plus, on tend à remettre en cause la valeur de ce court roman, dont on reconnaît toujours le talent et les mérites, mais qui ne semble plus aussi exceptionnel qu'il y a cinquante ans. Resserrée à l'extrême, l'action de *Bonjour tristesse* est simple et la tragédie brillamment menée. On parle par ailleurs souvent d'une « petite musique » pour qualifier le style de Sagan, et l'on a souvent vanté son sens de la formule. Pourtant, l'auteur elle-même revenant sur son œuvre dans l'ouvrage *Derrière l'épaule*, qualifie ainsi son premier roman : « À la fois instinctif et roué, usant de la sensualité et de l'innocence à parts égales, mélange encore détonant aujourd'hui, comme il le fut hier...

[…] Quoi qu'il en soit, ce livre respire l'aisance et le naturel, toute l'habileté inconsciente que donnent la fin de l'enfance et les premières brûlures de l'adolescence : il est rapide, heureux et bien écrit. » Sagan ne semble pas porter une bien grande estime pour son roman, mis à part pour son « habileté » et sa maîtrise de l'intrigue comme du style, et s'étonne même plus loin dans cet extrait de Derrière l'épaule, qu'il ait de tous temps connu un tel engouement : « *Bonjour tristesse* est un livre qu'on peut lire sans ennui et sans déchéance. Encore une fois, si son habileté m'épate vaguement, l'affection que lui portent les jeunes gens actuels, les très jeunes ou les moins jeunes, ceux du moins qui m'en parlent, me paraît plus flatteuse que justifiée. »

LES THÈMES
PRINCIPAUX

Bonjour tristesse est le premier et le plus connu des romans de Françoise Sagan ; ses thèmes et problématiques particulières, que l'on retrouve disséminés partout dans son œuvre, y sont largement présents.

Il y a d'abord la jeunesse et ses plaisirs, ainsi que la peur de les perdre avec le temps ; telle est la problématique de Raymond, père aimant, mais toujours volage et séducteurs. Peu enclin à la fidélité par nature, il lui est difficile d'accepter, après une vie de donjuanisme consciencieux, de se ranger et de se consacrer à l'amour exclusif que lui demande Anne. Pourtant, il l'aime et la respecte ; mais la peur de perdre cette jeunesse, synonyme de liberté, le pousse de nouveau dans les bras de la jeune Elsa, placée sur sa route par Cécile. Comme la jeune héroïne l'explique si bien, ce désir qu'il ressent pour son ancienne maîtresse (qu'il délaisse pour Anne au début du roman) est lié au jeu, au défi de séduction qui lui est proposé. Cécile lui laisse clairement entendre qu'Elsa n'a pas tardé à se consoler avec un homme plus jeune, chose insupportable pour Raymond. C'est donc uniquement pour flatter sa vanité qu'il la reprend, uniquement pour se rassurer quant à sa capacité de séduction qu'il met sa relation avec Anne en péril.

La jeunesse de Cécile est également mise en avant, par son insouciance et sa légèreté, autre thème principal de *Bonjour tristesse*. Cécile, enfant gâtée, a vécu sans mère, en pension, et connaît, depuis quelques années seulement, le plaisir de vivre avec un père laxiste, qui ne met aucun frein ni limite à ses désirs. La relation père-fille décrite dans le roman est assez particulière, puisque Raymond est bon, attentionné envers Cécile, mais fait bien plus figure d'ami que de père ; leur complicité s'apparente presque à une relation entre une sœur et un frère plus âgé. Elle nommera d'ailleurs son père « son complice » ou « son vieux complice » à plusieurs reprises. Cécile connaît donc une vie facile et futile, où l'argent coule à flots, entre fêtes bien arrosées et baignades au milieu du décor idyllique et vacancier de l'été méditerranéen. C'est Anne qui soulignera parfaitement cette insouciance de Cécile, qui contraste avec sa propre personne, par une remarque, au chapitre VIII de la deuxième partie : « Vous pensez peu au futur, n'est-ce pas ? C'est le privilège de la jeunesse. »

Voilà donc une héroïne qui ne calculera jamais les conséquences de ses actes, et qui pousse une femme au suicide presque sans s'en rendre compte ; elle agit dans l'instant, sans penser à l'avenir, sans même le craindre.

Cette jeunesse de Cécile en fait un personnage à la fois candide et pervers. Nous rencontrons une jeune fille de dix-sept ans incapable de sérieux, que ce soit dans ses études (car malgré ses bonnes résolutions, elle ne travaillera pas pour rattraper son baccalauréat) ou dans ses amours, comme on le voit dans sa relation avec Cyril ; attirée par lui, elle se croit d'abord amoureuse, avant de réaliser qu'elle ne lui est pas du tout attachée, à la fin du roman. Ses sentiments pour lui vont de l'indifférence à l'amour en revenant à l'attachement puis à l'affection, mais seule l'attirance physique est constante entre ces deux personnages. C'est pourquoi lorsqu'il lui demande sa main le plus sérieusement du monde, au chapitre III de la deuxième partie, Cécile, en proie à une douloureuse fatigue, due à ses excès d'alcool, contourne la question et répond en pensée : « Je ne voulais pas l'épouser. Je l'aimais mais je ne voulais pas l'épouser. Je ne voulais épouser personne, j'étais fatiguée. »

Ce que nous appelons « la perversité » de Cécile est en partie due à ce manque de sérieux, à son insouciance, ainsi qu'à son profond égoïsme et à son cynisme ; à moitié innocente, elle n'a que peu d'idées des choses de l'amour au début du roman, et sa seule expérience lui vient de l'observation du comportement de Raymond, son père ; pour elle, l'amour est léger, simple, presque uniquement physique, et ne s'embarrasse pas de considérations complexes telles que l'attachement et la fidélité. Aussi, la découverte de la profondeur que peut atteindre le sentiment amoureux sera un des enjeux du roman ; mais cette découverte, elle ne la fait que trop tard ; Anne est déjà morte, et en partie par sa faute.

La narration établie par Sagan nous permet de découvrir le caractère de son héroïne par petites touches, à travers le regard qu'elle porte sur les autres. Très habile à déceler les gestes, les coups d'œil discrets, elle juge également très vite, mais souvent avec raison et finesse ; elle constatera d'emblée la supériorité d'Anne sur Elsa, la naissance de sa relation avec son père, ainsi que la souffrance des deux femmes. Et pourtant, le portrait qu'elle fait d'Anne dépend de son humeur, des attentions que celle-ci lui porte ; Cécile nous la décrit tantôt comme une femme dangereuse mettant en péril sa liberté, tantôt comme une merveilleuse et noble dame, pleine d'intelligence et de raffinement. Ainsi, ce n'est qu'au chapitre IV de la deuxième partie qu'elle reconnaît sa bonté d'âme, occultée par son égoïsme : « Ai-je dit qu'elle était bonne ? Je ne sais si sa bonté était une forme affinée de son intelligence ou plus simplement de son indifférence, mais elle avait toujours le mot, le geste juste, et si j'avais eu à souffrir vraiment, je n'aurais pu avoir de meilleur soutien. »

De même, c'est aussi par jeunesse et légèreté que Cécile met en place le petit jeu cruel visant à détacher Raymond d'Anne, comme elle l'explique elle-même, avec le recul, au chapitre III de la deuxième partie : « C'est ainsi que je déclenchai la comédie. Malgré moi, par nonchalance et curiosité. Je préférerais par moments l'avoir fait volontairement avec haine et violence. Que je puisse au moins me mettre en accusation, moi, et non pas la paresse, le soleil et les baisers de Cyril. »

Ce jeu de manigances et de manipulation, elle ne le lance que par dépit, puis, par indifférence et paresse. Sa seule réaction véritablement passionnée, lorsqu'elle se met en colère contre Anne après avoir été enfermée à clef, sera de devenir la maîtresse de Cyril ; une action commise sur le vif, qui correspond bien plus à un défi lancé à celle qui lui avait interdit de le revoir, qu'à une recherche de plaisir. La colère est comme l'amour chez Cécile ; elle se mue très vite en indifférence ou en culpabilité, la jeune fille n'étant pas mauvaise par nature ; aussi, après avoir assuré à Elsa que son père l'aimait encore et qu'elle devrait tenter de le séduire à nouveau, elle regrette immédiatement. Par la suite, décidée à renoncer à ses plans, elle laisse néanmoins les choses évoluer par pure procrastination, en se disant qu'elle y repensera à un autre moment et qu'elle saura bien y mettre un terme. Mais Elsa et Cyril, séduits à l'idée de chasser celle qu'ils prennent pour une intrigante autoritaire et mauvaise se jettent à corps perdu dans le projet et vont tout faire pour que la jalousie et la tentation naissent dans le cœur de Raymond.

Ce court roman évoque donc à la fois les thèmes de la jeunesse, de la vie facile, mais aussi de l'insouciance et des conséquences désastreuses que celle-ci peut avoir lorsqu'elle se mêle à l'amour. Il y a là une sorte de dimension tragique ; puisque le récit *a posteriori* de Cécile nous laisse deviner dès le départ que cette aventure d'un été ne peut que se finir mal : « Nous avions tous les éléments d'un drame : un séducteur, une demi-mondaine, et une femme de tête » (chapitre III de la première partie). L'antagonisme est trop fort entre Raymond et Anne, malgré les sentiments et l'admiration qu'ils se portent mutuellement, c'est pourquoi elle se tue, comprenant que son fiancé ne pourra jamais correspondre à ses attentes et lui rester fidèle : « Vous n'avez besoin de personne. […] Ni vous, ni lui », explique-t-elle à Cécile juste après avoir découvert la trahison de Raymond. Le roman insiste sur cette notion de fatalité, par la bouche de Cécile, et même d'Anne ; ainsi, lorsque Cécile bouleversée par le remord, lui demande pardon ; « Vous pardonnez quoi ? » demande-t-elle, sans doute moins parce qu'elle ignore le rôle de la jeune fille dans son malheur, que parce qu'elle sait qu'il faut aussi accabler le destin.

Il nous faut enfin évoquer la dimension personnelle du roman ; dans ce drame psychologique, beaucoup de lecteurs ont cru reconnaître Sagan dans ce personnage de jeune fille riche aimant les fêtes, l'alcool, le jeu, menant grand train de façon insouciante… Cécile a en commun avec Sagan d'avoir raté son baccalauréat la première fois, et *Bonjour tristesse* est écrit juste à la suite de cet échec, au cours d'un été, ce qui correspond à la temporalité du roman. D'une certaine façon, on pourrait parler d'autofiction, qui consiste en une mise en scène de soi dans un récit fictif, ou romancé (s'il s'agit d'une expérience vécue). En effet, le personnage de Cécile ressemble à Sagan, par la vie qu'elle mène, par ses études, sa jeunesse, mais on aurait tort de confondre l'auteur avec un personnage qu'elle place si vite sous notre regard critique ; le récit étant narré à la première personne par une Cécile plus âgée et plus mature. Il y a dans sa parole un recul et une dimension critique très forte face à son comportement, autant que devant sa légèreté qui a tué, depuis cette aventure, tout sentiment de culpabilité en elle. S'il y a donc inspiration personnelle dans cette œuvre, elle n'est pas autobiographique ; Sagan, tout jeune auteur, s'est inspirée d'un milieu et d'une jeunesse cruelle qu'elle connaissait et qu'elle vivait ou fréquentait au quotidien, ce qui n'est pas surprenant pour un premier roman.

ÉTUDE DU MOUVEMENT LITTÉRAIRE

Bonjour tristesse paraît une dizaine d'années après la guerre, soit peu à près l'épuration politique qui eut lieu après la libération de la France, parmi les élites politiques et littéraires, notamment. Les auteurs-vedettes sont alors les intellectuels engagés dans la Résistance ou, du moins, les non collaborateurs ; Jean-Paul Sartre et Albert Camus, Vercors, Louis Aragon et François Mauriac (grand critique littéraire de cette époque) en font partie, avec Simone de Beauvoir, qui après le choc de la parution de son essai, *Le Deuxième Sexe* (en 1949), reçoit le prix Goncourt pour *Les Mandarins* en cette même année 1954.

La pensée communiste, que l'on associe à la Résistance, est à la mode, ainsi que la philosophie existentialiste de Sartre qui connaît un immense prestige après la guerre. Mais le début des années 1950 est fécond en matière de littérature, puisqu'il voit naître plusieurs courants artistiques, dits « nouveaux », qui ont pour point commun de se poser en rupture avec la dramaturgie ou les règles de l'intrigue.

Citons tout d'abord le théâtre de l'absurde, représenté essentiellement par Samuel Beckett et Eugène Ionesco, auxquels on associe souvent Jean Genet et Arthur Adamov. Ce théâtre en rupture avec le réalisme, la notion d'intrigue, la psychologie ou l'identification est l'antithèse du drame bourgeois ou du vaudeville, et on l'appelle souvent « Théâtre de l'avant-garde », ou « nouveau théâtre ». Inspiré des théories d'Antonin Artaud et de Brecht, ce théâtre intellectuel met en scène l'absurdité du monde, la vacuité du langage, ou des angoisses philosophiques, comme dans les célèbres pièces *En attendant Godot* de Beckett, *Rhinocéros* de Ionesco, ou *Les Bonnes* de Genet.

On voit également apparaître le courant littéraire du Nouveau Roman, représenté essentiellement par des auteurs comme Alain Robbe-Grillet, Claude Simon,

Nathalie Sarraute, Michel Butor, Marguerite Duras, souvent liés aux Éditions de Minuit. Ces auteurs remettent également en cause la notion d'intrigue, ainsi que les conventions romanesques établies par les grands romanciers du XIXe siècle ; la description n'est pas nécessaire, la psychologie non plus, ni même le réalisme. Cette déconstruction romanesque fait la part belle à l'étrangeté et à l'innovation littéraire (pour citer un exemple célèbre, le roman de Butor *La Modification* est rédigé entièrement à la deuxième personne du pluriel). Cependant cette nouveauté a été nuancée par la critique, qui a montré que cette déconstruction romanesque avait été amorcée par plusieurs auteurs antérieurs ; Franz Kafka, et ses personnages mystérieux autant qu'allégoriques, ou encore James Joyce, et même Joris-Karl Huysmans, dont le plus célèbre roman, *À rebours*, est un roman sans intrigue.

Enfin, un dernier mouvement artistique allait voir le jour dans les années 1950, quoiqu'un peu après la parution de *Bonjour tristesse*, mais auquel nous pouvons rattacher Françoise Sagan. Il s'agit du courant cinématographique de la Nouvelle Vague, fruit d'une recherche de renouveau au cinéma, à travers de nouveaux moyens techniques, de nouvelles façons de jouer, ou même de filmer un paysage. On y associe des réalisateurs tels Jacques Rivette, Claude Chabrol, François Truffaut, Agnès Varda, Eric Rohmer, Jean-Luc Godard, Alain Resnais, Jacques Demy... La liste est assez longue, et l'on pourrait citer parmi eux quelques écrivains, qui prirent à leur tour la caméra, comme Marguerite Duras ou Alain Robbe-Grillet, et aussi Sagan, qui écrivit des scénarios et des dialogues, et réalisa un court-métrage en 1974, *Encore un hiver*, et une adaptation de son propre roman, *Les Fougères bleues*, en 1977.

Au contraire de toutes ces tentatives pour donner un second souffle à l'art, en s'affranchissant des conventions littéraires et cinématographiques, *Bonjour tristesse* propose une intrigue linéaire et simple, bien loin de toute tentative d'avant-garde. Cependant, ce n'est pas là le sujet du roman ; la rupture est ici une rupture idéologique avec les tabous moraux et familiaux ; la sexualité féminine est abordée avec hardiesse pour l'époque, quoiqu'elle ne soit pas évoquée de façon crue, ainsi que le libertinage amoureux. Ces thèmes ne sont pas révolutionnaires en eux-mêmes, mais la légèreté avec laquelle Sagan les traite a pu choquer le public. Ainsi, comme l'avait fait remarquer l'auteur, certains lecteurs ont été scandalisés qu'une jeune fille puisse avoir des rapports sexuels en dehors du mariage, en dehors même de toute convention sans avoir à se soucier des conséquences, puisque Cécile ne tombe pas enceinte. Pourtant, cela se comprend facilement ; ce personnage de Cécile est la légèreté personnifiée, en opposition à celui d'Anne, qui, elle, représente la gravité et le sérieux (c'est d'ailleurs Anne qui éloigne Cécile de son amoureux parce qu'elle craint justement pour elle une grossesse non désirée). Le roman se situe donc en accord avec la progressive libération des mœurs et de la femme, libération dont Sagan sera une active partisane.

DANS LA MÊME COLLECTION
(par ordre alphabétique)

- **Anonyme**, *La Farce de Maître Pathelin*
- **Anouilh**, *Antigone*
- **Aragon**, *Aurélien*
- **Aragon**, *Le Paysan de Paris*
- **Austen**, *Raison et Sentiments*
- **Balzac**, *Illusions perdues*
- **Balzac**, *La Femme de trente ans*
- **Balzac**, *Le Colonel Chabert*
- **Balzac**, *Le Lys dans la vallée*
- **Balzac**, *Le Père Goriot*
- **Barbey d'Aurevilly**, *L'Ensorcelée*
- **Barbey d'Aurevilly**, *Les Diaboliques*
- **Bataille**, *Ma mère*
- **Baudelaire**, *Les Fleurs du Mal*
- **Baudelaire**, *Petits poèmes en prose*
- **Beaumarchais**, *Le Barbier de Séville*
- **Beaumarchais**, *Le Mariage de Figaro*
- **Beauvoir**, *Mémoires d'une jeune fille rangée*
- **Beckett**, *En attendant Godot*
- **Beckett**, *Fin de partie*
- **Brecht**, *La Noce*
- **Brecht**, *La Résistible ascension d'Arturo Ui*
- **Brecht**, *Mère Courage et ses enfants*
- **Breton**, *Nadja*
- **Brontë**, *Jane Eyre*
- **Camus**, *L'Étranger*
- **Carroll**, *Alice au pays des merveilles*
- **Céline**, *Mort à crédit*

- **Céline**, *Voyage au bout de la nuit*
- **Chateaubriand**, *Atala*
- **Chateaubriand**, *René*
- **Chrétien de Troyes**, *Perceval*
- **Cocteau**, *La Machine infernale*
- **Cocteau**, *Les Enfants terribles*
- **Colette**, *Le Blé en herbe*
- **Corneille**, *Le Cid*
- **Crébillon fils**, *Les Égarements du cœur et de l'esprit*
- **Defoe**, *Robinson Crusoé*
- **Dickens**, *Oliver Twist*
- **Du Bellay**, *Les Regrets*
- **Dumas**, *Henri III et sa cour*
- **Duras**, *L'Amant*
- **Duras**, *La Pluie d'été*
- **Duras**, *Un barrage contre le Pacifique*
- **Euripide**, *Médée*
- **Flaubert**, *Bouvard et Pécuchet*
- **Flaubert**, *L'Éducation sentimentale*
- **Flaubert**, *Madame Bovary*
- **Flaubert**, *Salammbô*
- **Gary**, *La Vie devant soi*
- **Giraudoux**, *Électre*
- **Giraudoux**, *La Guerre de Troie n'aura pas lieu*
- **Gogol**, *Le Mariage*
- **Homère**, *L'Odyssée*
- **Hugo**, *Hernani*
- **Hugo**, *Les Misérables*
- **Hugo**, *Notre-Dame de Paris*
- **Huxley**, *Le Meilleur des mondes*
- **Jaccottet**, *À la lumière d'hiver*
- **James**, *Une vie à Londres*
- **Jarry**, *Ubu roi*

- **Kafka**, *La Métamorphose*
- **Kerouac**, *Sur la route*
- **Kessel**, *Le Lion*
- **La Fayette**, *La Princesse de Clèves*
- **Le Clézio**, *Mondo et autres histoires*
- **Levi**, *Si c'est un homme*
- **London**, *Croc-Blanc*
- **London**, *L'Appel de la forêt*
- **Maupassant**, *Boule de suif*
- **Maupassant**, *Le Horla*
- **Maupassant**, *Une vie*
- **Molière**, *Amphitryon*
- **Molière**, *Dom Juan*
- **Molière**, *L'Avare*
- **Molière**, *Le Malade imaginaire*
- **Molière**, *Le Tartuffe*
- **Molière**, *Les Fourberies de Scapin*
- **Musset**, *Les Caprices de Marianne*
- **Musset**, *Lorenzaccio*
- **Musset**, *On ne badine pas avec l'amour*
- **Perec**, *La Disparition*
- **Perec**, *Les Choses*
- **Perrault**, *Contes*
- **Prévert**, *Paroles*
- **Prévost**, *Manon Lescaut*
- **Proust**, *À l'ombre des jeunes filles en fleurs*
- **Proust**, *Albertine disparue*
- **Proust**, *Du côté de chez Swann*
- **Proust**, *Le Côté de Guermantes*
- **Proust**, *Le Temps retrouvé*
- **Proust**, *Sodome et Gomorrhe*
- **Proust**, *Un amour de Swann*
- **Queneau**, *Exercices de style*

- **Quignard**, *Tous les matins du monde*
- **Rabelais**, *Gargantua*
- **Rabelais**, *Pantagruel*
- **Racine**, *Andromaque*
- **Racine**, *Bérénice*
- **Racine**, *Britannicus*
- **Racine**, *Phèdre*
- **Renard**, *Poil de carotte*
- **Rimbaud**, *Une saison en enfer*
- **Saint-Exupéry**, *Le Petit Prince*
- **Sarraute**, *Enfance*
- **Sarraute**, *Tropismes*
- **Sartre**, *Huis clos*
- **Sartre**, *La Nausée*
- **Senghor**, *La Belle histoire de Leuk-le-lièvre*
- **Shakespeare**, *Roméo et Juliette*
- **Steinbeck**, *Les Raisins de la colère*
- **Stendhal**, *La Chartreuse de Parme*
- **Stendhal**, *Le Rouge et le Noir*
- **Verlaine**, *Romances sans paroles*
- **Verne**, *Une ville flottante*
- **Verne**, *Voyage au centre de la Terre*
- **Vian**, *J'irai cracher sur vos tombes*
- **Vian**, *L'Arrache-cœur*
- **Vian**, *L'Écume des jours*
- **Voltaire**, *Candide*
- **Voltaire**, *Micromégas*
- **Zola**, *Au Bonheur des Dames*
- **Zola**, *Germinal*
- **Zola**, *L'Argent*
- **Zola**, *L'Assommoir*
- **Zola**, *La Bête humaine*
- **Zola**, *Nana*

- **Zola**, *Pot-Bouille*

CPSIA information can be obtained
at www.ICGtesting.com
Printed in the USA
BVHW071924120822
644459BV00012B/1277